Pour Harvey

Adaptation française de Hélène Souchon
Secrétariat d'édition : Christophe Tranchant
PAO : Damien Druault (texte composé en Coop)
Première édition française 2001 par Éditions Gründ, Paris

ISBN : 2-7000-4839-3
Dépôt légal : janvier 2001
Édition originale 2001 par Little Tiger Press,
département de Magi publications, sous le titre *Fireman Piggy Wiggy*

Imprimé à Singapour

Loi n° 49-956 du 16 juillet 1949 sue les publications destinées à la jeunesse

Éditions Gründ - 60, rue Mazarine - 75006 Paris
Pour en savoir plus : www.grund.fr

Pin-Pon
Willy !
Diane et Christyan Fox
Gründ

Quand je vois un gros camion rouge,
je m'imagine être un courageux pompier...

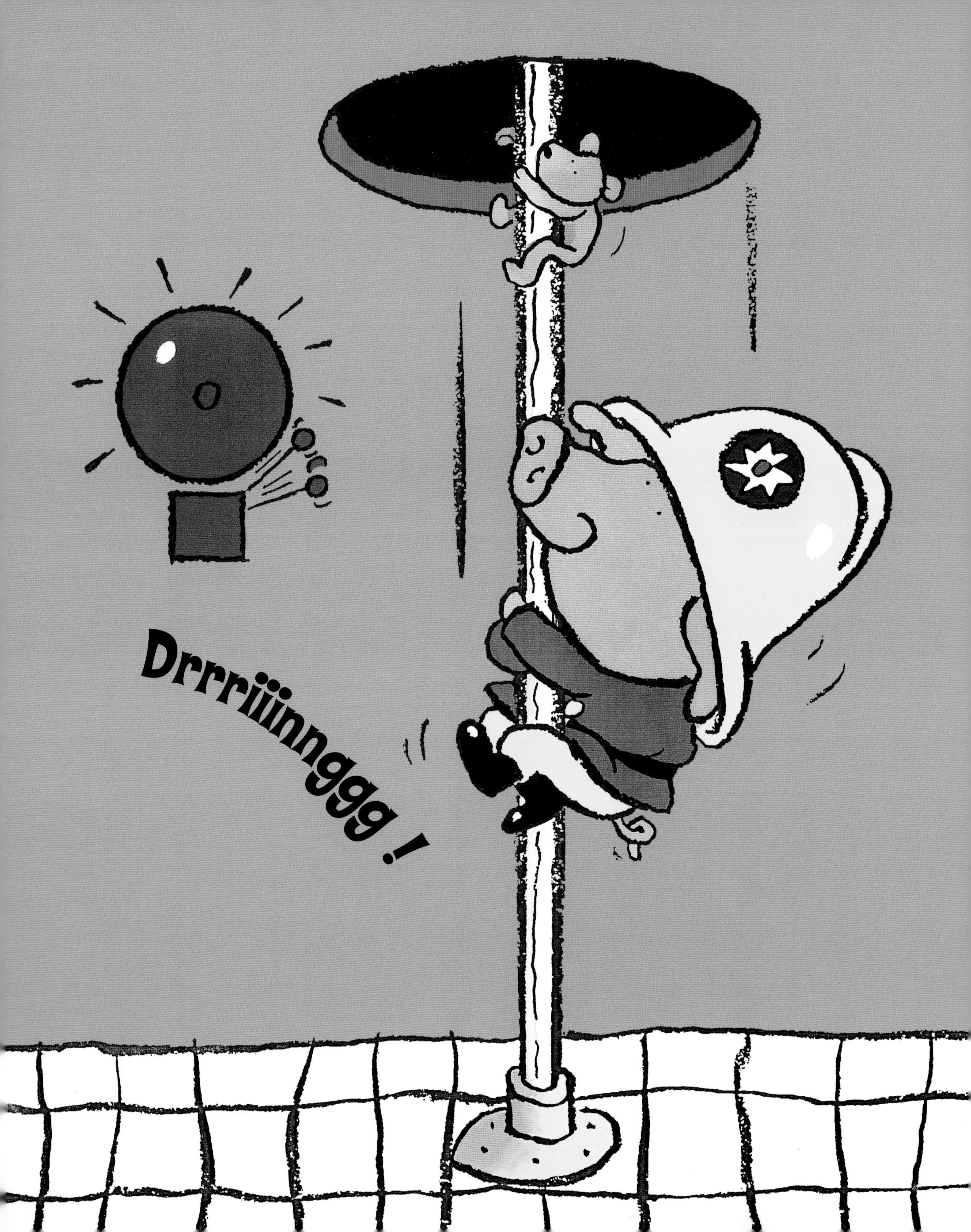
Drrriiinnggg !

Je pourrais porter
un beau casque jaune
et glisser le long de
la grande perche
en cas d'urgence.

Je pourrais conduire
ses lumières clignotantes
Pin-pon... Pin-pon...

le gros camion rouge avec
et sa sirène hurlante.

Je pourrais peut-être
grimper sur
la grande échelle
pour aider quelqu'un
qui a le vertige...

... ou sauver
un malheureux tombé
dans une
profonde grotte !

Je pourrais même rafraîchir tout le monde lorsqu'il fait très chaud...

... et éteindre tous les feux
avec ma puissante

lance d'incendie.

Mais c'est toujours bien de savoir...

... que dans les vrais cas d'urgence...

... je peux appeler
un courageux pompier
à mon secours !